cerddi map yr underground

cerddi map yr underground

Ifor ap Glyn

Argraffiad cyntaf: Tachwedd 2001

ⓗ awdur/Gwasg Carreg Gwalch

Rhif Llyfr Safonol Rhyngwladol: 0-86381-754-8

Cynllun clawr: Sian Parri
yn seiliedig ar syniad yr awdur

Argraffwyd a chyhoeddwyd gan Wasg Carreg Gwalch,
12 Iard yr Orsaf, Llanrwst, Dyffryn Conwy, LL26 0EH.
☎ 01492 642031
🖷 01492 641502
🖳 llyfrau@carreg-gwalch.co.uk
Lle ar y we: www.carreg-gwalch.co.uk

Diolch i Geraint, Myrddin, Iwan a Twm,
Ifor Thomas, Elinor Wyn Reynolds, Rhys Parry a Gronw Roberts
am rannu'r daith
a diolch i Lowri Gwilym ac Ian Rowlands am bob anogaeth.

Lluniau:
Sioned Llewelyn Jones – 15, 73, 127
Sgrech – 46
Haf Thomas – 124
'O flaen dy lygaid' (trwy garedigrwydd y BBC)
Gareth Owen (trwy garedigrwydd S4C) – 55, 57, 59, 61, 62, 64, 66
Y gweddill gan yr awdur a'i wraig

Cyflwynir y gyfrol hon i ddysgwyr Cymru

cynnwys

map yr underground

Mae pob plentyn yn Llundain yn gwybod
sut mae'i enaid wedi'i weirio,
am fod lliw i bob lein
a lein i bob llwyth.

Dyma *Songlines* Llundain:
pedair cainc ar ddeg chwedloniaeth y ddinas
a'u cledrau'n canu am yr hen amser
pan dynnwyd yr enfys dan y ddaear;

mae atsain sodlau lawr twneli'r nos
yn adrodd Mabinogi'r *Northern Line,*
yn disgyn yn ddu i Annwn De Llundain;

mae pob chwa o wynt o flaen trên
ar rimyn melynwy'r *Circle Line*
fel angerdd gwyrthiol y Pair Dadeni,

ond marŵn y *Met Line* oedd yn llywio
eneidiau blin ein llwyth Llundeinig ni,
ar ein teithiau Arthuraidd dyddiol,
tua Greal Sanctaidd ymddeol.

Dyma *Songlines* Llundain...

Yma'n blentyn y dysgais gyfranc y creu,
hen gof y sybyrbs;
sut y daeth y grawn unnos o *grescents*
ac *avenues*, a *views*
i guddio'r caeau,
sut y daeth y traflyncu mawr...

Yma'n blentyn y dysgais ddefodau'r llwyth;
trwy wylio henaduriaid platfforms y Met
yn cul-blygu papur newydd
ac yn hela seti...

Yma'n blentyn, cefais hefyd grwydro
yn Biccadilly o las,
neu'n Jubilee o lwyd
er mwyn gweu fy chwedlau fy hun;

y twneli amryliw ymroliai dan ddaear
oedd yn clymu fy ffrindiau a mi ynghyd,
eu lliwiau oedd cyfrwng cyfeillach ein byd...

ac mae'u cledrau'n canu am yr hen amser...

Dwi yma ar blatfform heno, yn unig yn y dyrfa,
fel dyn o Batagonia, yn siarad iaith gyrliog,
yn ceisio hawlio Llundain 'nôl
wedi hanner oes oddi wrthi.

Daw trên, ac mae'i ddrysau'n hisian gau,
ac wrth i'r Llundain yn 'y mywyd fynd yn llai,
wrth golli gafael ar yr hen straeon,
daw'r map hwn yn ddrysfa, yn drysor, yn eicon,

a'i liwiau cyfrodedd yn gymorth i 'mysedd
ymbalfalu-gofio
sut mae f'enaid Llundeinig wedi'i weirio...
am fod lliw i bob lein,
a lein i bob llwyth...

Comisiynwyd y cerddi hyn gan y BBC ar gyfer rhaglen
'Babi Pwy? – naw mis yn hanes ysgol' a ddarlledwyd fel rhan o'r gyfres
O Flaen Dy Lygaid Mawrth 2001.

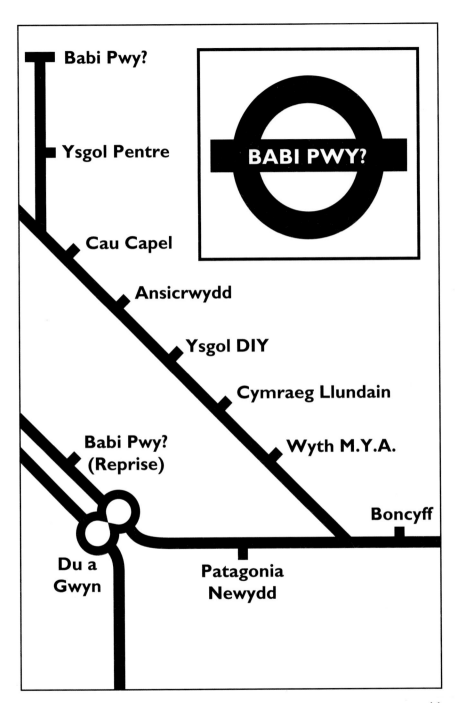

Babi Pwy?

Ysgol Pentre

BABI PWY?

Cau Capel

Ansicrwydd

Ysgol DIY

Cymraeg Llundain

Babi Pwy?
(Reprise)

Wyth M.Y.A.

Boncyff

Du a
Gwyn

Patagonia
Newydd

babi pwy?

(Agorodd Ysgol Gymraeg Llundain yn y pumdegau ac ymgartrefodd yn
adeiladau Capel Willesden Green o 1962 ymlaen. Pan ddaeth yr achos
hwnnw i ben yn 1998, gwerthwyd yr adeiladau i gynulleidfa o Buddhists
Tsieniaidd ac erbyn Gorffennaf 2000 roedd rhaid i'r Ysgol gael hyd i gartref
newydd ...)

Ers talwm, roedd diwylliant yn dod ar blât.
Tyfai'n araf
cyn ei weini gyda grefi dydd Sul...

ond darfu'r hen ddefodau traed dan bwrdd...
Bwyd brys yw'r Gymraeg bellach,

rhaid pori'n sydyn,
ag un llygad ar y gorwel
mewn dinas lle mae'r cenhedloedd newydd
yn cyrraedd ymhob cenhedlaeth.

A rhaid bod yn barod
i chwalu a gwasgaru fel ceirw'r paith
cyn ailymgasglu.
Ond ble?

Ac mae'r rhieni'n gwylio'u llydnod llywaeth
yn glustfain, foelglyw
yn nabod cyfrifoldeb pob cri unigol
ond babi pwy yw'r ysgol
pan fo'r cyfan yn y fantol?

Deugain oed yw'r babi
ond er bod mamiaith ganddi
does neb yn rhyw dadol tuag ati

Mae'r cwestiynau yn ein huno…
'Babi pwy?'
Yr atebion sy'n ein rhannu…
'Babi pwy?'

ysgol pentre llundain

Fuon ni 'rioed yn rhyw sgut am ghettos yn Llundain;
fuo 'na 'rioed Kilburn Cymraeg
nag ail Lanrwst yn Lewisham;
cwlwm llac oedd alltudiaeth y Cymry
ond cwlwm yr un fath...

"Dwi'm yn meddwl 'swn i 'di medru aros yn Llundain gyhyd
onibai bod 'na ysgol...
Dwi 'di bod yn Llundain ers dwy flynadd ar hugian
a pan ddês i yma gynta dôn i'm yn nabod neb Cymraeg...
Ês i Glwb Cymry Llundain
ond dôn 'na'm pobol ifanc fatha fi yno...
Mae 'di cymyd tan imi gael plant
imi fod yn rhan o gymuned Gymraeg yn Llundain...
a trwy'r ysgol mae hynna 'di digwydd..."
(Bethan Jones)

Fuon ni 'rioed yn rhyw sgut am ghettos yn Llundain,
ac yn awr,
pan fo'r hen rwydweithiau'n torri lawr,
y Clwb yn wag,
capeli'n cau,
mae pawb yn gweu'u cymdeithas ei hunain
fel yr ysgol bentre ynghanol Llundain...

colli cartref

*"peth trist iawn ddiwedd tymor dwetha oedd pacio'r ysgol i gant ac
ugain o flychau yn neuadd capel Willesden Green,
heb wybod os oedd 'na gartre newydd ar eu cyfer"
(Elinor Delaney, Cadeirydd y Rheolwyr)*

Dan adain Anghydffurfiaeth,
cawsom nyth am ddeugain mlynedd.

Dyrchafwn ein llygaid tua'r Gorllewin.
O ble, o ble y daw ein cymorth?

ansicrwydd

(gyda diolch i'r Cyrff)

(Ar ddiwedd Awst 2000, doedd y rhieni dal ddim yn gwybod pryd na lle fyddai'r ysgol yn ailagor.)

Gêm barti plant yw ansicrwydd.
Di o'm ots fod y dyfodol
fel nionyn o barsal,
gwylia ha' hir yw ansicrwydd.

Ac mae'r mamau yn cuddio'r ansicrwydd
dan haenau gwamalu
fel blawd
heb ei chwalu
achos 'dyw plant ddim yn deall ansicrwydd'

rhaid gwneud gêm parti plant o ansicrwydd.

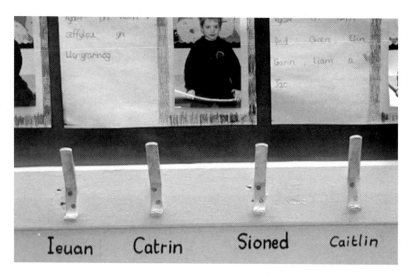

ysgol DIY

(Tridiau'n unig a gafodd y rhieni i symud yr Ysgol Gymraeg i'w safle newydd yn Stonebridge Park, mewn adeilad fu'n gartref i offer Carnifal Notting Hill cyn hynny. "Cyd-ddyheu a'i cododd hi", chwedl R. Williams Parry)

Ac fe gawsom droedle newydd...

ein styfnigrwydd, nid styllod, yw'r silffoedd,
ein gobeithion sy'n gwyngalchu'r welydd
a'n brwdfrydedd sy'n frws ymhob llaw,

ac mae'r ysgol gyfan yn sumbol
o'n hyder i fod yn wahanol...

cymraeg llundain

(gyda diolch i R.S.Thomas)

(Mae'r Ysgol Gymraeg newydd yn rhannu safle hefo Ysgol Stonebridge, lle mae 27 o ieithoedd gwahanol yn cael eu siarad gan y plant; dydi'r adeilad chwaith ddim ond tafliad carreg o'r brif lein i ogledd Cymru)

Mae trenau o fa'ma'n dyrnu mynd tua'n gwlad
ond y Bakerloo sy'n rhedeg
fel trydan trwy'n hiaith, ni'r plant.
'Mond trenau lleol sy'n stopio fan hyn
ac felly daw'r Gymraeg i Stonebridge,
iaith rhyw ddeuoliaeth
nad adwaenwn fel deuoliaeth...

Nid deilen yn disgyn mewn coedwig ddiglustiau,
nid esgyrn eira rhyw oes a fu,
nid trydar gwenoliaid a hithau'n nosi,
nid sŵn un llaw'n clapio, mo'r iaith Gymraeg fa'ma
ond yr hyn sydd yn normal i ni...

...waeth be mae Whitehall yn honni.

Ni yw'r glaswellt yn ei gynddaredd
dan styllod sglein yr Adran Addysg
Ni yw'r deugain miliwn dwyieithog
yn blera ffiniau gwladwriaethau Ewrop,
Ni yw'r lleiafrifoedd llafar
yn adfeddiannu'r ddinas
oedd unwaith biau'r byd,
yn creu byd newydd i'n hunain
achos bellach y byd biau Llundain...

wyth milltir yr awr

(Mae llawer o'r teuluoedd sy'n mynychu'r Ysgol Gymraeg yn wynebu teithiau hir trwy draffig trwm, bob bore a phrynhawn, a rhai'n treulio gymaint â phedair awr yn y car bob dydd...)

Pell o agos yw popeth yn Llundain
(ond o leia mae'r pellter yn cadw ei werth).

Nid fesul milltir mae ei fesur
a thithau'n cropian
ddecllath ar y tro
mewn traffig trwm.
Amser yw pellter yma
ac mae traffig yn traflyncu amser.
Pell o agos yw popeth yn Llundain.

Traffig yw ein tywydd,
ein hiechyd, ein hopera sebon,
yr obsesiwn beunydd sy'n tanio pob sgwrs.
Daw'r lonydd yn fyw
wrth holi am eu hynt,
trafod contraflow,
seiadu am gyfyngiadau cyflymder.

"Os yw'r heol yn iawn, mae'n dri chwarter awr i awr,
ond ambell waith mae'n gallu cymryd...
wel, yr un waetha oedd dwy awr a hanner..."
(Catrin Eleri Whitehouse)

Pan fo lôn ar draffordd yn cau
mae gwythiennau'r ddinas yn culhau
yn codi'n pwysedd gwaed ninnau,
ac yn gyrru pellter 'mewn i'n heneidiau,
blygain a gosber...

"...a 'neud hynna bob dydd, ddwywaith y dydd,
a plant bach yn y car, sy'n sychedig,
neu moyn mynd gartre, neu moyn stopio...
mae'n galed iawn weithie..."
(Alison Garrard)

Ond mae angen pellter
mewn perthynas hyd bonet
a dyma'r foment drosgynnol...

Cyd-ddyheu yw traffig
a chyd-ddibynniaeth,
ein sagrafen sybyrbaidd,
ein purdan, a'n Haleliwia,
ein ffydd a'n ffordd o fyw...

"Mae'r traffig allan o'r tŷ yn ofnadw...
mae jest yn rhywbeth mae rhaid ti fyw 'da..."
(Catrin Eleri Whitehouse)

Pell o agos yw popeth yn Llundain
(ond o leia mae'r pellter yn cadw ei werth);
ganmlynedd yn ôl, fel yn awr,
symudai'r traffig yn sagrafennol,
wyth milltir yr awr...

boncyff ar hampstead heath

(i'r athro gwaith coed Jonathan Garrard, sy'n anfon ei blant i Ysgol Gymraeg Llundain, er na fedr mo'r iaith ei hun)

Fel y Gymraeg,
mae hwn wedi disgyn,
ond mae o dal yma
yn bresenoldeb nerthol,
cyfarwydd o ddiarth,
sy'n rhy fawr imi'i drin.

Mae'r plant fel mwncwns
yn rhedeg hyd-ddo
ac yn ei amharchu hyd yn oed
am fod ganddyn nhw'r hawl…

Mae fy nghaneuon i yn hanu
o gywair gwahanol o goed,
dwi'n seinio cynghanedd o'r styllod llyfn,
dwi'n arwain y cŷn
mewn concerto o naddion pren
ac yn cyrlio ogla coed
yn drebl cleff o dan y plaen…

I mi, mae boncyff fel hwn
yn geincia
ac yn draed cathod i gyd.
Ond dwi'n ei barchu…
Fedra'i mo'i lusgo fo

adra i Acton
ond 'dan ni am ei arbed
yn sybyrbia 'run fath,

ac yn ein deuoliaeth deuluol
fe awn ni bob un,
yn ei ffordd ei hun,
â thamaid ohono 'nôl adra.

patagonia newydd

Ers canrifoedd bu cyrchu
ar draws Ynys y Cedyrn
at ferw chwyrn Llundain.

Aethom yno'n weision cyflog
i weini wrth y bwrdd
ond yn lle eistedd gyda'r cenhedloedd,
– ein dewis oedd aros
yn genedl drwsus byr,

yn gwrthod bwrw heibio'r
pethau bachgennaidd
o oes i oes;
(oed gŵr a greddf gwas;
mor hir y bu'r embaras).

Ond wrth ddod o'r diwedd i oed,
wrth ddod o'r diwedd at ein coed
gall Cymru wneud yn Llundain
fel mae'r lleill 'di gwneud erioed...

"ac mae'n werth atgoffa'n hunain fod 'na lewyrch mawr
ar Ysgol y Ffrancod yn Llundain,
Ysgol Almaenwyr Llundain,
Ysgol plant Norwy yn Llundain,
mae'r rhestr yn un hirfaith..."
(Huw Edwards, mewn araith i'r Eisteddfod)

"Mae 'Den Norske Skole' yn Llundain
yn derbyn cymorthdal gan Adran Addysg Norwy..."
(Sylvi Hopland, prifathrawes)

23

"Mae 'La Lycée Français Charles de Gaulle'
yn galluogi plant Ffrainc
i ddilyn cwricwlwm eu mamwlad
tra bônt yn Llundain..."
(Jean-Michel Fouquet, prifathro)

Ac wrth ymwisgo'n genedl go iawn
ar ddiwedd dydd,
gwelwn mai cyfiawn yw cadw ffydd
â sawl Patagonia newydd;
Trelew'r Tafwys
a'r Gaiman
draw yn Harlesden;

Mae cynnal y Wladfa'n bwysig dros ben
ond mae 'na un dipyn nes yn NW10...

"Mae 'na 69 o ysgolion Siapaneaidd trwy'r byd i gyd,
ac mae Llywodraeth Siapan yn darparu
dros fil tri chant o athrawon i weithio ynddyn nhw..."
(Koji Yamada, prifathro)

"Vicente Canada Blanch ydi'r ysgol Sbaenaidd yn Llundain
ac mae'n cael ei rhedeg a'i hariannu
gan Adran Addysg Sbaen..."
(Rafael Martinez, prifathro)

Ac yn lle creu cysgodion
o gwmpas ein cymdogion
oni ddylwn roi i'n dinasyddion

yr hawl i gamu'n dalog i'r haul
a dweud fel y Rhufeiniwr gynt
"Civis Cambrensis sum"
dinesydd o Gymro wyf?

24

Mewn gwlad drwsus hir, mae bellach hen bryd
rhoi'r hawl i siarad Cymraeg o hyd,
lle bynnag digwyddwn fod yn y byd...

gwerthu'r byd mewn du a gwyn

(i Ian Clarke, cymar prifathrawes Ysgol Gymraeg Llundain, a thad Nia.
Mae am ddod yn rhugl ei Gymraeg rŵan, meddai "Cos I don't want my two
best gels talkin' about me behind me back, do I?"!)

"...Standard !!"

Yma ar fy stondin unffrwyth
dwi'n gwerthu straeon y dydd;
rhywbeth i gnoi
wrth droi am adra o'r Ddinas
ag ogla newydd ei bobi ar y papur ffres

Mae'r gwerthiant yn gyson;
trech darllen na sgwrsio
ar drenau tanddaear...
mae o'n wal gyfleus,
freeze-frame rhwng gorsafoedd
esgus osgoi llygaid y ffair
wrth rannu gofod
heb rannu gair...

A 'sgena'i 'misio gwerthu mwy
ar gorn sgandal na thrychineb,
ffrwydrad nwy mewn fflatiau'n Fulham,
crash awyren yn Heathrow...

Pa les mynd adra â phocedi trwm
a chalonnau pawb yn drymach fyth?

"...Standard !!"

Os wyf innau'n gwerthu'r newyddion
mae'r wraig yn trio'u creu;
droeon yn ystod degawd
bu ysgol *my two best gels*
yn cyrraedd colofnau'r hyn dwi'n ei werthu,
am ei bod hi'n cynnig rhyw egsotica Llundeinig
sy ddim yn cael ei glywed,
rhyw Ulster o stori
fytholwyrdd, ond diniwed,
a chymaint haws i'w datrys...

Basa arian mân cefn soffa rhyw filiwnydd
yn ddigon i roi rhyw gychwyn newydd...

"...it's cheaper than Snowdun
an easier tuh park
inna middul of Lundun!"

A dyna 'ti stori
'swn i'n hoffi ei werthu
a gwyn ein byd, y missus, y fechan a mi
o weld hwnna'n syn
mewn du a gwyn!!

"...Standard !!"

babi pwy?
(reprise)

"o edrych mlaen pum mlynedd...
mae lleoliad yn dylanwadu dipyn
ar ddenu disgyblion newydd...

Os 'dyn nhw'n byw yn East Dulwich,
neu hyd yn oed yn bellach na hynny,
mae'n hollol anymarferol iddyn nhw
fedru neud y daith yn ddyddiol...

Dwi'n gwbod am deuluoedd
sy wedi symud yn benodol o un pen o Lundain
i fod yn nes i'r Ysgol...
Mae pobl wedi bod yn fodlon gneud hynny...

Yn ddelfrydol 'sa'n neis cael mwy nag un Ysgol Gymraeg,
un yn y Gogledd ac un yn y De..."
(Sian Edwards, prifathrawes)

Mae cwestiynau yn ein huno...
'Babi pwy?'
Yr atebion sy'n ein rhannu...
'Babi pwy?'

Comisiynwyd y naw cerdd ganlynol gan Gwmni Theatr Bara Caws
ar gyfer sioe Lliwiau Rhyddid, cerdd ar bob un o liwiau'r sbectrwm,
ynghyd â du a gwyn.

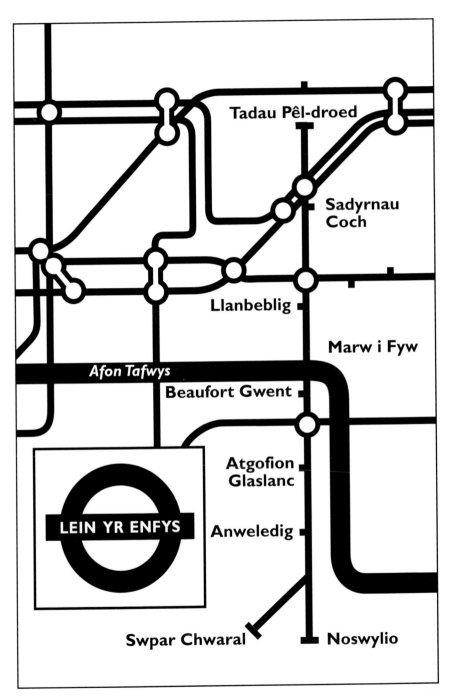

Tadau Pêl-droed

Sadyrnau Coch

Llanbeblig

Marw i Fyw

Afon Tafwys

Beaufort Gwent

LEIN YR ENFYS

Atgofion Glaslanc

Anweledig

Swpar Chwaral

Noswylio

y tadau pêl-droed

'Dan ni'n cario'r pyst i'r caea barugog,
yn drwsusa tracsiwt a hetia gwlanog
cyn gwylio'r gêm mewn rhesi cegog...

c'laen, Nathan, lladda fo!

'Dan ni'n smentio perthynas trwy arthio'n cefnogaeth
yn ffyrnig ein cymeradwyaeth,
yn rhedeg ystlys ein rhwystredigaeth...

be ti'n meddwl ti'n neud, hogyn?!

mae crysau gwynion ein meibion yn chwythu
'nôl a mlaen ar hyd y cae, nes i'r gêm sgwennu
ar bob tudalen o hogyn glân... a'i faeddu

ar ei hôl hi, ar ei hôl hi! ...rhy hwyr!

Ac wedi'r chwib ola ar ein cydymgais,
tewi mae'r parti tadau deulais
cyn cario'r pyst fel croes ein huchelgais...

da iawn hogia ... ennill tro nesa ...

ac wrth i'r eira hawlio'r caea
anodd dweud pwy yw'r diniweitiaid mwya -
hogiau bach y crysau gwyn? — 'ta'u manijars o dadau?

sadyrnau coch

"Catch 22, The Tin Drum, Fun with Chinese Characters,
Aros Mae, Marged, Dirgelwch Gallt y Ffrwd…"

Penderfynais un pnawn, wedi cweir arall gan Mikey C.,
y byddai darllen llyfrau clawr coch yn fy ngwneud i'n fwy caled,
am bod nhw'n cyflymu pỳls,

yn symud yn gynt mewn traffig,
yn Elgan a Gerald o chwim,
ac yn saff o sgorio yng nghongol dy feddwl.

Ynfytyn Sofietaidd oeddwn
hefo cynllun pum mlynedd
i ganibaleiddio barn pawb arall,

a chodi storm ymhob llyn llefrith
fel bod pawb yn bwyta caws drycin
o'm herwydd i.

"The Ragged Trousered Philanthropists, Bywyd Bob Owen, Rubaiyat
Omar Khayam…"

Yna, daeth y Sadyrnau coch;
dechreuis i glywed ogla 'nŵr 'yn hun,
a cruise-io strydoedd fy rhwystredigaeth rywiol

gan fudr-obeithio
am ryw haul llwynog o nicar coch
wrth wylio genod del yn dringo o gymylau'u ceir.

Ond fel pob voyeur, rôn i heb weld dim,
ôn i'n fwy dall na mud
wrth geisio llenwi'r lliwiau coll
yn sbectrwm fy myd.
Roedd y gwir yn gwrido
fel acne o annifyr
wrth gwrs, ôn i heb brofi pob un o'r tair "p"
pync, pwnani... a rygbi

Bob penwythnos
wedi jarffio ar gae, a **byw** testosterôn
cyn ochrgamu ar hyd y palmant,
byddai'r Sadyrnau coch yn mynd â ni i'r Marquee
lle roedd pyncs yn canu am rwbath ond rhamant,
– y ddau **yna** oedd yn lleisio'r waedd yn fy ngwaed...

Saith Cefin yn ddiweddarach,
mewn trwsus mecryll,
gyda chyhyrau newydd yn fy ngherddediad,
byddai cyfeillgarwch yn ddwysach o beth coblyn
hefo ffrindiau oedd yn cyd-bisio adrenalin;
(- David Williams, Dave Evans, a fi -)

ac yn y bore bach, wrth olau traffig coch,
fe neidien ni i gefn fan *News of the World*
a dwyn pas adra, piece of piss, ar ein Twrch Trwyth tabloid
ac wrth rasio trwy'r cysgodion, ar wely pennawdau
'roeddan ni'n barod i newid ein beiblau,
ffeirio cynefin,   .
gwneud **rhwbath**,
(ond llosgach a dawnsio gwerin...)

*"The Quantity Theory of Insanity, England's Dreaming,
La langue Bretonne Face a Ses Oppresseurs..."*

Ugain mlynedd ar ôl y Sadyrnau coch,
dwi'n gwneud tirluniau weithiau
hefo'r llyfrau ar fy silffoedd,
trefnu'r cloriau gwinau a chethin,
i wneud rhyw lun gan Kyffin
ac mae'r meingefnau cochion yn eu plith
fel sblashus gwaed ar draws y llun
...ond bod y gwaed bellach wedi sychu.
Darfu'r rhyferthwy.
Mae'r mochyn yn gig.
Mae'r peryg wedi pylu...

fáinne an lae
yn llanbeblig

(rhyfeddodau gaeafol wrth fynd i'r ysgol)

Yn y gaea, fe godwn gyda'r haul,

daw mwg o'r simneiau
a stêm o'n cegau brwd
wrth ddringo'n bedwarawd llac
a'r pumed yn gannwyll llygad yn ei goets...

...ôn i **yn** gwrando Dad, ond oedd 'y nghlustia i yn blincio...

Brynderwen, Roman Villa, Gorwel
dyma'r enwau sy'n ein hudo
fel aborijinis ar ein taith
i fyny dwy fil o flynyddoedd o allt...

...dwi'n gallu agor 'y nghreision yn hun rŵan Dad...

Yn y gaea, pan mae'n llachar o oer
a'r gwynt yn deifio, yn canu yn dy ben,
dyna pryd mae'r haul yn codi'n oren o hwyr
gan rythu lawr sbenglas y dyffryn oren,
yn gwrido ei embaras
rhyw droedfedd ffyrnig uwch wyneb y lôn
i'n dallu a'n dofi, wrth fentro croesi,
a cheir Waunfawr yn llosgi ein llygaid
wrth ymrithio'n beryglus
o lygad y ffwrnes,
ac mae'n brifo gormod i weld dim...

ydan ni'n cael uwd yn y gwylia hefyd?

Ac yna wrth gyrraedd Segontiwm
fe goda'r mynyddoedd
yn lledrithiol o'r tarmac,
yn banorama beunydd
o Elidir draw i'r Eifl...

...Dad, pa flas ydi'r enfys?

Ond heddiw mae'n wahanol o aeafol,
a 'chawn ni mo'n oren-ddallu...
mae'r haul ar waelod powlen o gymylau
a'u hymylon yn flew geifr i gyd,
yn adleisio'r esgyrn eira
sydd ar lethrau'r Mynydd Mawr...

mae'n pwlsgleinio'n isel,
fáinne an lae meddai'r Gwyddel,
modrwy'r dydd,
a'r cyfan yn wyryfol berffaith...

Mae'n gwahodd camera...
rhyfeddu'n stond...
paent olew, ond

Dad, 'dan ni'n hwyr!

rhaid rhyfeddu ar ras...

                 • • •

Bum munud yn ddiweddarach
a thri phlentyn yn llonyddach,
ar ôl bwrw'r rhai hyna
i bair Ysgol Hendra,
dwi'n ailweindio'r pafin
dan goets y fenga,
yn barod gyda beiro
i ardystio'r rhyfeddoda ...
ond mae'r haul wedi hwylio ymlaen,
wedi drysu'r gynghanedd-o-liw-dros-dro,
wedi llithro'n dawel o fodrwy'r bore
i ogoniant ffrog briodas y dydd.

"marw i fyw mae'r haf o hyd"?

(ar wyliau yn Cluttlehampton, Dyfnaint, chwe mis cyn i'r ardal honno gael ei tharo gan glwy'r traed a'r genau)

Sefyll wnaethom ryw hwyrnos hafaidd,
yn gwylio ras hamddenol
y melyn yn erbyn y gwyll,
ffermwyr Dyfnaint yn cywain eu cynhaea gwair.

Minnau a'r ddau fenga yn fy mreichia
mewn cae, mewn pyjamas, (am 'bod hi'n wylia)
"Maen nhw'n lapio fferis i'r gwartheg," meddai un.

Dau dractor yn dawnsio o gwmpas y cae,
yn moesymgrymu at bob caseg gwair
cyn ei lapio'n fferan mewn plastig du ysgafn,
a'i chodi'n ballerina ar ben y das,

a ninnau'n gwylio'n ddiniwed,
yn drindod o ryfeddod...

• • •

Eistedd wnaethom gerbron teledu'r gaea,
yn gwylio'r tractorau eto yn y caeau,
yn dawnsio dawns angau
a'u partneriaid wedi cyffio,
fatha anifeiliaid smalio...

Minnau a'r ddau fenga wrth fy ymyl ar y soffa
...braster mwg gwartheg yn melynu'r sgrîn...
...bwldôsars yn Belseneiddio'r das...

"Pam bod nhw'n sgota gwartheg hefo'r craen 'na?"
"Pam bod nhw'n gollwng nhw'n glatsh ar ben y lleill?"
"Ydyn nhw'n chwyddo fel bod nhw'm yn brifo?"

a theimlais fy hun yn melynu gan henaint
wrth fethu ag ateb cwestiynau mor ifainc...

beaufort, blaenau gwent, mewn gwyrdd

Mae capel Carmel wedi cau
a boddi mae y beddau
mewn môr o ddail tafol,
tonnau emrallt yn addo storom
rhwng ynysoedd y cerrig llonydd;
a chwifio'n fyw mae meini'r meirw...

Yma mae'r Gymraeg yn llwyd,
yn gen i gyd, angerdd angof
ganrif a hanner yn ôl
yn naddion ar y meini,
sy'n nofio fel cyrcs
ar gerrynt y gwyrddni.

Rhythu drostynt mae ffenestri Carmel,
llygaid briw sy'n llawn brain
mewn siwtiau syber,
yn gwâdd brain eraill
at nythfa'r gwatwarwyr,
a'u crawcian yn darogan glaw...

Yna'n ddisymwth, daw'r storom
i'm hysgwyd o'm sentimentaleiddio;
tu ôl i'r penglog rhwth o gapel
mae festri'r cefn dal ar waith,
ac mae'i ddrws yn clepio'n 'gored
gan chwythu coetsus a welingtons
yn gawod o liw rhwng meini'r meirw.
Mae'n bwrw'n gynt ac yn gynt,

ond deuant o hyd, yn bonchos dayglo,
eu traed bach yn daranau ,
eu lleisiau'n diasbedain rhwng y beddau,
a'u Cymraeg Ysgol Feithrin fel mellt yn y llwydwyll... !

Mae'r meirw a'r heniaith yn bwydo'r tir
ac mae'r iaith yn wyrdd, fel y fynwent ir...

atgofion glaslanc

(ar ôl gwrando ar raglen radio a synnu deall fod pysgod trofannol, sy'n bethau mor lliwgar i ni, ddim yn lliwgar yn eu llygaid eu hunain. Dyw lliw felly ddim yn absoliwt – tybed ai dyna'r rheswm am y gwahaniaethau rhwng yr hyn a ddisgrifir fel 'glas' yn Gymraeg a'r hyn sy'n 'blue' yn Saesneg?)

Mae 'na las sydd ond yn bod mewn atgofion bore oes.
Glas awyr fel llyfrau Janet a John.
Glas perffeithrwydd
oedd yn gaead ar ein breuddwydion.
Glas yr iaith fain, *blue remembered suburbs* Llundain …

Dyma liw'r maestrefi i mi,
a'r semis unffurf yn wynebu'i gilydd
fel dau dîm *Come Dancing*
wedi'u rhewi mewn Paso Doble.

Ffenestri ambell un fel llygaid sambaista
wedi'u gorgoluro braidd;
glitter yn pefrio ar gadwyni'r ddawns sybyrbaidd,

ond roedd rhythm arall yn fy ngyrru i ;
y toeau gwâr yn orwel rhy agos
a'u hawddfyd yn cau'n gwlwm amdana'i,

ac un tro wrth nofio'n anfoddog dan ei nen,
a phawb yn heigio yn groes i'w gilydd,
clywais "las" arall yn galw arna'i …

hwyr glas,
gora glas,
glaslanc,
glaswellt,

a gwelais fod y cenhedloedd oll fel pysgod trofannol,
pob un a'i thonfeddi lliw preifat ei hun,
a dyna *pam* fod glas Cymru yn wahanol,

er mwyn hudo cymar,
er mwyn ymdoddi yn erbyn y môr,
er mwyn cwpanu ystyron amgen
rhwng llygad ac ymennydd,
gan mai gweithred o ffydd ydi gweld yn y bôn
ac enwi yn fedydd sy'n sumbol o'n ffydd ...

glastwreiddio,
glas y bore,
dolydd gleision,
cregyn gleision ...

Mae 'na las sydd ond yn bod mewn atgofion bore oes,
ond mae blas gwahanol ar las Caernarfon,
(mae glas â blas gwahanol i *blue!*)
blas llai llachar, sŵn llai cyfyng,

glas yr oedd rhaid i mi ganu'n fan hyn
i'w ail fedyddio mewn i fodolaeth,
o ddawns i ddawns,
o genhedlaeth i genhedlaeth.

anweledig mewn gig anweledig

Tydw i ddim yn rhy hen,
ond gwlad arall yw ieuenctid
lle mae'r goleuadau'n fflachio'n
gochlas a glasgoch
i guriad croch y grŵf.

Cariad at gerddoriaeth sy'n fy nwyn i yma,
fel gwyfyn gaea,
a nghyfoedion wedi hen ymadael
a'r buchedd roc a rôl;
maen nhw'n dal i wisgo'u jîns,
ond fel arlywydd yn hamddena,

mor wahanol i'r criw sydd yma heno
a'u denims llawn agwedd a hormona...
ac yn eu plith paraplegic
dwi'n teimlo fel rhyw euogrwydd dwygoes;
nid wyf yn rhan o'u norm...

felly,
dwi'n suddo lawr at lefel fy mab fenga,
yn bump oed anweledig,
yn erbyn un o'r colofna...

Yma, dwi'n henwr unig mewn storom cyrff,
brenin Llŷr, a'r strapiau bra
yn melltennu'n uwchfioled.

Yma, dwi'n benhwyad ynghudd
yng nghanol coesau gwymon
ar waelod dawns yr afon,

a phan fo'r gymeradwyaeth
yn fferru'r goedwig coesa,
gwn fy mod i'n gwylio'r
genhedlaeth goll nesa,

yr heb-eto-barchusion
sydd heb eto sylweddoli
na ddôn nhw yma dros eu crogi,
ryw ugain mlynedd o hyn,
pan fydd y mab 'run oed â nhw,
a nhwtha 'run oed â fi.

Mae'u ffocws yn llwyr ar rywbeth
na fydd yn ffocws toc,
ond siawns wnaiff eu lifrai indigo
bara'n hirach na'u cariad at roc...

46

swpar chwaral

Rhyfedd yw archaeoleg prydau bwyd;
roedd ein lluniaeth yn Llundain
yn ffishffingar o gyfoes, fel y llestri ar y lliain;

ond o glirio'r brig, dinoethi'r graig
a saethu hollt trwy haenau hanes,
cawsom bod ni'n dal i weithio'r un hen fargen

o ran amser bwyd, fodd bynnag...

byddai Mam yn ein galw
at ein bwrdd sybyrbaidd am bump,
am mai dyna ddisgwylid gan 'wraig
i ddyn fu'n trin y graig,'

ac mae rhai arferion mor wydn
â'r dytchis a'r ladis porffor
a hebryngwyd o Ddinorwig gynt,

(er bod ein teulu wedi hen ddiflannu
o'u bargen cegin lwgu,
a throi hi am Lundain,
lle 'roedd y cerrig yn hollti fel sidan.)

• • •

Rhyfedd yw archaeoleg prydau bwyd;
mae'n bump eto, yng Nghaernarfon 'tro 'ma
ac mae'r llwya'n canu'n frwd wrth grafu'r ddesgil...
"dach chi'm yn gweithio'n 'chwaral 'wan"
me' fi

Geiriau Mam yn Llundain ers talwm...
geiriau Nain yn Llanrwst gynt...
geiriau hen nain yn Fachwen cyn hynny...

creiria o eiria sydd wedi para
tu hwnt i ddyddia fy nghyn-dada,
fu'n troi clytia'n grawia
a cherrig yn fara...

• • •

Rhyfedd yw archaeoleg prydau bwyd;
heno, 'nôl yn Llundain,
er gwybod dim am glirio baw, na chodi bona,
dwi'n hollti syniada,
a'u naddu ar drafal fy nychymyg,
am fod rhan ohona'i'n llechan borffor o hyd...

Hyd yn oed heno,
gyda 'ngwallt dosbarth canol
a 'nannadd Beaujolais,

wrth sgythru arferion newydd ar hen lechan,
gwn yn iawn 'mod i ond pwyriad a chadach pocad
i ffwrdd o fywyd llawer lot fwy calad...

Saith deg mlynedd, a dau gan milltir i ffwrdd,
swn corn chwaral -'di- cau sy'n ein galw o hyd at y bwrdd.

noswylio

Mae'n ddefod gyda'r 'fenga 'cw
wasgaru "llwch cysgu"
dros ei lygaid,
cyn eu cau, trwy gribo'r cwsg
i lawr trwy'i wallt
ac yn dyner dros ei dalcen,

nos da, Dad
nos da...

Gwrandawaf ar y plant yn anadlu'r nos,
y pennau bach dan gwrlid
wedi mynd i rywle lle na allwn ddilyn,
ond o leiaf y dôn nhw nôl;
mae sêr rhyw nos dragwyddol
yn britho'u gwalltia,
a'u wyneba fel clocia
yng ngwyll y llofft...

Mae eu boreau nhw yn bnawn i ni,
a'u pnawniau nhw a wêl ein noswylio ni;
rhyw bnawn Sul tawel efallai,
a'r haul trwy'r bleind yn ystol ddu ar wal fy llofft
a'r dyrna bach
wedi dod yn ddwylo oedolyn,
fydd yn gwasgaru'r llwch cysgu dros fy llygaid cau,
cyn ei gribo lawr trwy fy ngwallt brithwyn...

Nos da, Dad
nos da...

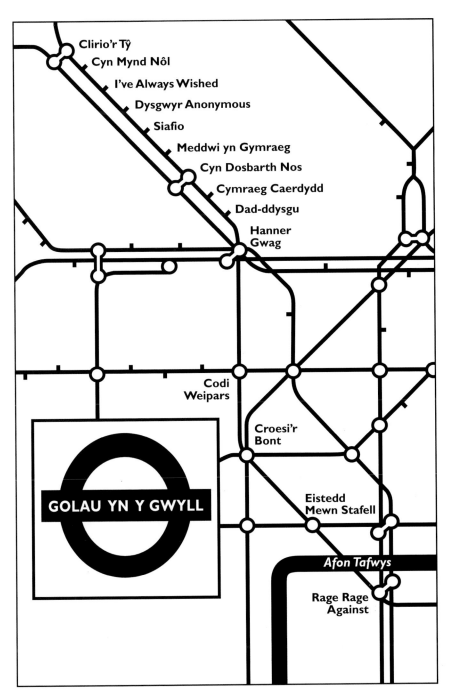

Clirio'r Tŷ
Cyn Mynd Nôl
I've Always Wished
Dysgwyr Anonymous
Siafio
Meddwi yn Gymraeg
Cyn Dosbarth Nos
Cymraeg Caerdydd
Dad-ddysgu
Hanner
Gwag

Codi
Weipars

Croesi'r
Bont

GOLAU YN Y GWYLL

Eistedd
Mewn Stafell

Afon Tafwys

Rage Rage
Against

53

clirio'r tŷ mewn cwmwl tystion

(elfyn : llanrwst)

Lladd ystyr mae marw iaith,
nid diffodd golau ond sathru'r bylb,
nid chwythu'r gannwyll ond porthi'r moch â'r gwêr;
heddiw oedd hi;
yn oslef cain ac islais main...
and then...
it's just not there...

...Amhosib fydd ail-greu iaith o'r bag bun du
llawn treigliadau anghynnes,
mor ddiwerth â dannedd gosod ail law,
y tronsiau o frawddegau,
botymau sbâr o enwau
a'r berfau a wiwerwyd
at achlysur na ddaw...

...y Saesneg biau'r stryd erbyn hyn,
a chadair fy nhad yn wag
wedi methu ag atal y lli...

ond baich ardal arall, ers tro byd
sydd yn hawlio fy nghalon i...

nhw yw fy nheulu yn awr,
Cheryl a Dave, Julie a Wayne;
nhw yw'r dyfodol; nhw yw fy ngwaith;
lladd ystyr mae marw iaith...

cyn mynd nôl i'r de

(elfyn : llanrwst)

Am hanner 'di deg, daw'r athronwyr i'r dafarn
– y teips stop-tap
di-eneiniad sydd fel cardiau cydymdeimlad
i ddiwylliant cyfan,

"dro ar ôl tro, fe achubwn yr iaith,
unwaith yn unig y collir hi;
heriwn felly'r mudandod maith"

Maen nhw yn llygad eu lle,
ond wnân nhw ddim siarad â dysgwyr...
Rhyfedd yntê?

I've always wished I could speak Welsh

(wayne : wattstown)

Mae'r dyfodol yn ddyn hoffus o amheus
ar sesiwn pnawn, yn gwenu fel gwn,
yn chwerthin fel exocet;

mae'n gwmniwr da, fel yr heulwen a ddaw
trwy ffenestri'r pnawn, yn dân yn dy gwrw
ac yn ddawns ar dy dafod.

Ond er bod y pnawn yn llachar o beintiau
a'r nos bell yn llawn posibliadau,
dyn peryg yw'r dyfodol,

yn diflannu i'r gwyll heb godi'i rownd
yn d'adael chwap yn anterth y mwg
yn wynebu'r presennol prin,

am un ar ddeg, heb ddim
ond "y *kudos* o fod yn bocedwag"
yn *hieroglyph* ar gefn mat cwrw

a anghofir gennyt ar y bar,
wrth faglu trwy'r drws.

Mae'n dechrau bwrw...

dysgwyr anonymous

(elfyn : llwynypia)

Anodd dychmygu'r gwewyr sy'n cnoi,
cyn troi mewn i'r dosbarth gynta,
a'r bol yn glinigol noeth
cyn gwneud y gyffes ddrud;
"wyf Gymro,
wyf Gymro,
mynnaf fy iaith yn ôl".

Mae methu wedyn,
yn gallu sigo seiliau'r byd

siafio o flaen fy mab

(dave : tremorfa)

Gollyngais fy rasal, a gweld,
wrth ei chodi'n sydyn,
fy mab yn y bwlyn drws pres,
ei ddwylo'n ymbil fel dau haul
a'i fysedd yn pelydru.

Yn ei fyd lastig o, ni wêl angen siafio,
'mond morgrug ar fy wyneb;
nid yw newid gwlad
ond dysgu cân newydd,
a newid iaith fel gwisgo fest y bore.
Mae o, yn wahanol i mi,
heb angen Wlpan i newid fest...

ond yn y bwlyn drws
mae nefoedd yn bosib i minnau hefyd;
caf anghofio'r bustachu dysgu,
a throi fy Nghymraeg cloff
yn freichiau rwber i'w anwesu...

ac ar ymyl y sinc siafio,
mae'r diferion sebon strae
yn llawn morgrug meirwon...

makeover and rusks
(meddwi yn gymraeg)
(cheryl : treherbert)

Nid y fi sy'n siarad yn awr
ond y fi newydd, â'm hiaith fenthyg,
yn ailbrofi bore oes
yn glafêrs i gyd,
yn sugno bronnau'r famiaith,
yn cnoi'r cytseiniaid anghyfiaith,
yn cael fy aileni.

cyn dosbarth nos

(wayne : hirwaun)

"Dwi'n bwyta afal bob dydd," meddai Wayne
"ond mae'n nos bob dydd, lawr yn ein gwaith ni."
Mae'r sticeri bach afalau
fel sêr ar dalcen y glo.
Mae eu sudd yn gorlenwi'r geg,
yn golchi'r dwst ar gefen llaw
a'r shwrwd ffrwyth yn tasgu
gyda'r treigliadau newydd
a ymarferir rhwng y dannedd gwyn,

ac mae blas anghyffredin ar y geiriau hyn
ac mae'r graig yn syn
o glywed y Gymraeg
eto lawr fan hyn...

cymraeg caerdydd

(elfyn : park place)

Mae'n blanhigyn sy'n deilio mor fras â menyn
ond heb fwrw gwreiddiau dyfnion,
er gwaethaf fforchiad cyson o flawd esgyrn o'r Fro,
lle mae'r Beiblau'n cael eu cario allan,
lle mae sgwrs yn troi'n amgueddfa,
lle mae brawddegau'n braenaru,
a lle mae'r byw,
a'r iaith,
yn gynyddol fain.

dad-ddysgu

(julie : canton)

Dysgais-i dreiglo,
ac yna i beidio;
dysgais-i "blwch llwch",
(ond mae *ash tray* 'n gwneud y tro);
ac er i mi ddad-ddysgu,
dwi'n ddysgwr o hyd
ac mae'r label ...
yn gwneud imi deimlo fel llo.

guinness wedi'r wlpan

(elfyn : heol casnewydd)

Hanner gwag 'ta hanner llawn?

Daw'r argyfwng gwacter ystyr
pan fo'r gwydr ar ei hanner,
wedi'r ymgodymu dyddiol
â dechreuwyr Park Place.

– Hanner gwag 'ta hanner llawn?

Ydi'r cyfan mor ddiniwed a di-fudd
â'r hogyn bach dyflwydd
aeth i nôl y selotêp
er mwyn trwsio'r crac yn ei fisgedan?

– Hanner gwag 'ta hanner llawn?

Pendiliaf yn f'ansicrwydd
Gwagio hwn a mynd?
ynteu ceisio gwydraid arall o'r dirgelwch du?
brawd meddwl yw siarad
ac mae'r gwydr gwag yn eiriol drosof ar y bar

"hanner gwag 'ta hanner llawn?"

Mae llawer yn bosib mewn dinas fel hon...
a phan gofiaf y tro y bûm yn ffôn-ganfasio,
yr unig wyneb gwyn
mewn llond stafell o gyfeillion Asiaidd a du,
yn ffonio'u cyd-Gymry
er mwyn annog pleidlais "ie",

wedyn rhaid cyhoeddi yn bendant iawn
nid hanner gwag
ond hanner llawn!

codi weipars

(julie : aberystwyth)

Aethom i Aberystwyth ar drip,
i'r plant gael clywed yr iaith,
i geisio dal y Gymraeg yn ei slipars
a chael tynnu sgwrs,

ond roedden ni fel yr hogia llnau windsgrîn,
rhyw dacla diarth o'r De,
yn sgwrio'u heuogrwydd heb ofyn yn gynta,
eu dal rhwng cydwybod a golau coch,

(roedden ni'n codi weipars)

serch hynny, cawsom gildwrn o sgwrs gan sawl pen-rwd
"da iawn wir; *your Welsh is very good*"
cyn weindio'r ffenest,
gwên nerfus nawddoglyd,
golau gwyrdd, a gyrru i ffwrdd.

croesi'r bont

(dave : tremorfa)

Digwyddodd heddiw,
p'nawn 'ma yn y pressing plant,
hefo'r hogan o Lanelli
sy'n holi hynt fy ngwersi;

digwyddodd rhywbeth sbesial
sydd fel cyri yn cyrraedd,
yn droli ac yn drimins
ac yn lliain wen i gyd;

deallais sbeis ei geiriau,
eu profi am y tro cynta,
cydfwydo yn gariadus
o un ddesgil yn lle dwy;

digwyddodd heddiw,
a thân gwyllt y Gymraeg
yn goleuo'r nos, yn gwreichioni pob sgwrs
wrth gerdded o'r dafarn yn ôl i'w thŷ.

eistedd mewn stafell,
a'r golau wedi'i ddiffodd...
(elfyn : cathays)

Mae hi wedi nosi
ond mae eisiau 'mynadd codi at y lamp,
a'r dydd yn ail chwarae'n fy mhen

– Oes mab gyda ti?
– Oes, mae dwy fab gyda fi.
*– Mae **dau** fab gyda ti. Da iawn Dave.*

Gwylio'r teledu,
arch fy nychymyg,
a'i liwiau'n fflicro'n fy llygaid gwag,

yn trio deall –
os yw 'Nhad wedi marw,
pam 'mod i'n teimlo'n fwy fel ei fab?

    (eistedd mewn stafell a'r gola 'di ddiffodd ...
    eistedd mewn stafell a'r gola 'di ddiffodd ...
    eistedd mewn stafell
    a'r gola wedi'i ddiffodd ...)

rage, rage against...
(elfyn : llanrwst)

Wrth ddringo'r grisiau olaf at eich tŷ,
gwyddwn mai yn ei gadair byddai'r bardd
yn gwylio'r golau'n marw yn y stryd;

roedd ffenestri dall Llanrwst yn llosgi,
a hen ysbrydion yn nofio
unwaith eto yn eich llygaid chi...

Dyna oedd y tro ola, a minnau'n awchu
am eich bendith neu'ch melltith,
ond sefais tu ôl i'ch cadair er mwyn celu

fy nagrau, fy Niagra o euogrwydd.

Dathlwn y golau ond ofnwn y gwyll,
a'r ofn wna fudan o'r cariad afrwydd

sydd rhwng tad a mab. Mae'n ein drysu,
ond wedi'ch machlud, myfi yw'r wawr,
a'r gwyll, nid yw'n gorchfygu.

Mi godaf gofeb lafar nawr, i chi
a phob tafod newydd yn tystio yn ei dro
y **bu** Cymraeg rhyngom ni.

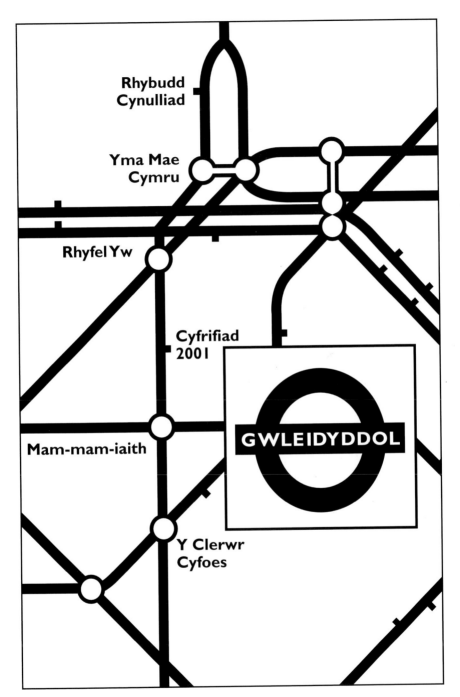

Rhybudd
Cynulliad

Yma Mae
Cymru

Rhyfel Yw

Cyfrifiad
2001

Mam-mam-iaith

GWLEIDYDDOL

Y Clerwr
Cyfoes

yma mae cymru...

(gyda diolch i Iwan, Myrddin a Geraint)

Yma mae Parys ac mae hi'n ha'
a chenedl gyfan yn "wlad y medra",
yn cynnwys y byd o fewn ei ffinia'...

Yma 'Nhresaith cawn olchi'n meddylia bas
â "rhyw deid yn mynd miwn a rhyw deid yn mynd mâs"
gan syllu i'r môr am foddion gras...

Ac ar y Cae Ras 'dan ni yma o hyd,
mae'r concrit yn oer, ond mae rhywbeth yn glyd
wrth fyw ein breuddwydion am newid byd...

Yma 'Nhredegar, daw'r gofal yn ôl,
a bydd iachau, heb ganu'n iach â'n gorffennol,
wrth fagu dyfodol y cwm yn ein siol...

Yma 'rydan-ni, yn ceisio cyfannu llun
sawl Cymru, heb orfod dewis pa un,
a phan wnawn ni hynny, daw sawl Cymru'n un...

Diwrnod Agor y Cynulliad
26.5.99

rhybudd: cynulliad

Pan fo traean o'n pobol yn troi'u herials tua'r Dwyrain,
dyma rybudd;
fydd y Cynulliad ddim yn arwain
at gwymp terfynol gwareiddiad y Gorllewin,
fydd tir ffermwyr ddim yn cael ei wladoli,
na'i blannu hefo melinau gwynt,
na goncs Mistar Urdd,
ac yn ogystal â'r llais bondigrybwyll yn Ewrop
bydd gennym gôr o leisiau'n diasbedain
yn enw cyfiawnder,
lawr yng Nghaerdydd.

Rhybudd: Cynulliad

Fydd pobl Caerdydd a'r Cymoedd
ddim yn cael eu corlannu
a'u gorfodi i wrando ar Stondin Sulwyn,
Dechrau Canu, Dechrau Canmol
a phethau gorau eraill ein diwylliant cynhenid.

Rhybudd: Cynulliad

Fydd pobl Gwynedd ddim yn gorfod ffurfio jazz bands
nac yfed bara lawr fesul peint yn eu tafarna.

Rhybudd: Cynulliad

Fydd colofnwyr papur newydd
ddim yn cael parhau â'r arfer o sillafu Gogledd a De Cymru
hefo G a D fawr
fel Gogledd a De Corea, neu Fietnam,
achos nid y 49th paralel, na'r DMZ
sy'n ein gwahanu
ond lôn sâl,
pobol sy'n deud "sietin"
a defaid teircoes Bannau Brycheiniog,

felly, Rhybudd: Cynulliad
bydd yn newid ein ffordd ni o feddwl;

Rhybudd: Cynulliad
Gadewch eich rhagfarn wrth y drws

Rhybudd: Cynulliad
Bydd yn gwneud ni'n rhan o'r ateb
yn lle bod yn rhan o'r broblem...

Rhybudd: Cynulliad...

(Perfformiwyd yn y cyngerdd i ddathlu agor y Cynulliad 26.5.99)

72

mam-mam-iaith

Mam, Mam,
mae 'na Sais 'di dod
ac mae'n aros yn tŷ ni
mae'r sglyfath yn yfad dŵr y bàth
a finna ar ganol molchi
"Be sy'n bod 'ta?" medda fonta
"Twyt *ti'm* yn sgodyn, siŵr iawn!"
ond tydi molchi ddim run fath
mewn bath 'mond hannar llawn.

Mam, Mam,
wyddoch chi'r Sais 'na, sy'n aros yn tŷ ni?
mae'n gorfadd ynghanol tatws yr ar'
ac wedyn mae'n gofyn "be sy?"
Dwi 'di deud wrth y gwirion
i beidio gwamalu –
chawn ni'm tatws siŵr iawn
os 'di'r gwlyddod 'di malu!

Mam, Mam,
wyddoch chi'r Sais 'na, sy'n aros yn tŷ ni?
mae 'di cicio'i bêl trwy'n ffenast
ac mae'n deud mai Reconomi wnaeth hi.
Ôn i'n gwaedu wrth godi'r deilchion
– mi ddudodd 'sa fo'n cael glud –
ond gwydr sbesial ni oedd hon,
ein ffenast ar y byd.

Mam, Mam,
mae'r Sais 'di newid
– yr un 'na sy'n tŷ ni –
gofynnodd be yn union
mae'n hiaith ni'n cynnig inni
Wnes i'm sôn am emyna na cherddi na'm byd
mond hyn:
swn plant bach fel fi
yn chwara yn y stryd
"'Na'r cyfan?" medda fonta
gan sbio lawr ei drwyn
"Mond hynna bach" me' finna.
"Wyt ti dal mor sgut am ei ddwyn?"

y clerwr cyfoes

(i bob bardd sy'n ymweld ag ysgolion)

Mae'n haws rŵan groesi'r mynyddoedd,
cymowta o gwmwd i gwmwd,
am fod y llwybrau'n lletach dan draed
a'r cymoedd pella yn nes...

Dyma'r clera newydd;
hel ysgolion yn lle hel tai,
nid er mwyn molawdu a marwnadu,
ond i seiadu â blwyddyn saith;
nid er mwyn gofyn march a hebog
ond i gynnig o'i gyfoeth ei hun

trwy gyflwyno iddynt
y syniadau adeiniog
all eich dallu
wrth hofran fel ail haul;

neu'r traddodiadau gwarlydan
all eich cario
ymhell mewn steil;

dim ond i chi eu dal,
a'u hebrwng lawr o niwl y mynydd
(ac mae plant yn licio dal ceffylau)

Maen **nhw'n** ei noddi **o**
â briwsion brwd
bwrdd eu dychymyg,
all fynd ar adlam i'w odlau...

Maen **nhw'n** ei noddi **o**
â gwin eu diniweidrwydd,
all sobri dyn
ar ganol Serbia brwnt y mesurau bras.

Maen **nhw'n** ei noddi **o**,
mae o'n eu naddu nhw,
yn naddu ynddynt fonedd newydd
ar gyfer gwlad newydd...

Mae'n haws rwan groesi'r mynyddoedd,
cymowta o gwmwd i gwmwd,
am fod y llwybrau'n lletach dan draed
a'r cymoedd pella yn nes...

ond mewn gwlad llai,
mae'r gwaith yn fwy,
a rhaid i'r clerwr
wrth fwy na thafod tân...

a'i wobr yw canu'r
Gymru nesa i fod,
a honno'n wlad
ar lun ei gân...

cyfrifiad 2001

(ymgom ar garreg drws)

Cyfrifiad mawr 2001
"Mae isio 'mynadd sant"
medd Tracey'r holreg wrthi'i hun,
wrth guro drws rhif cant.

"Dwi 'di 'laru bod 'na'm tick-box,
heb sôn am stad 'y nhraed…"
ond yna ddaeth 'na ddyn i'r drws
a dyma'r sgwrs a gaed…

-Be 'di'r enw? holodd Trace,
-Huws, Arfon Huws yn llawn
-Arfon hefo "F" 'ta "V"?
-Wel hefo "A" siŵr iawn !

-A be 'di'r dêtofbyrth?
-Y be?!
-Eich penblwydd, dyddiad llawn
-Cynta o Fai
-Pa flwyddyn?
-Bob blwyddyn, debyg iawn !!

-Dach chi 'di byw 'ma 'hyd eich oes?
sgyrnygodd mewn llais tlws
"Dim eto !!" medda fonta ac
ar hynny, cau ei ddrws !!!

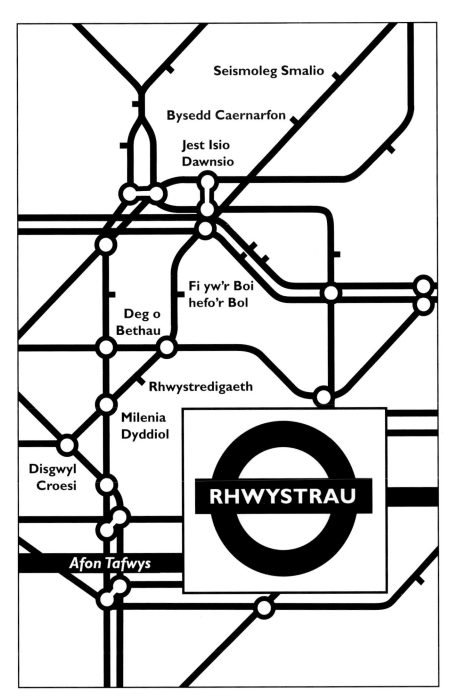

Seismoleg Smalio

Bysedd Caernarfon

Jest Isio
Dawnsio

Fi yw'r Boi
hefo'r Bol

Deg o
Bethau

Rhwystredigaeth

Milenia
Dyddiol

Disgwyl
Croesi

Afon Tafwys

RHWYSTRAU

cân y milenia dyddiol

"Ac mae'n chwarter i naw ar y sianel siopa ..."

(Chwartar i naw! chwartar i naw!
chwartar i naw! chwartar i naw!)

Cymraeg pedair gwaith ydi'r iaith yn tŷ ni,
Cymraeg pedair gwaith ydi'r iaith yn tŷ ni,
Cymraeg pedair gwaith... ond dach chi'n dallt be sgin i.

Pam fod y geiria "sana a sgidia"
yn gwneud fy mhlant i yn glustfyddar
am chwartar i naw ddydd Llun tan ddydd Gwenar?

Pam fod dau fys cloc y bora
wastad yn fy ngwatwar? A minna,
nôl fy arfar, yn dôn gron o dad
yn ailadrodd fy mantra
"chwartar i naw", "chwartar i naw",
yn ceisio'n ofer godi braw
ac er mwyn be, er mwyn dyn!
er mwyn mân-ormesu fy mhlant fy hun,
a'u cyflwyno i gwys
y milennia dyddiol hollol ddi-bwys ...

(Cytgan)
aiff mileniwm byth â chi allan i de
na gwisgo geraniwm yn ei esgid dde
mae o fel gêm bingo a phob un mor bybyr
yn awchu am gynnwrf yn hytrach nag ystyr,
a gwaeddwn y rhifa, am fod rhifa yn rhad,
(neu felly mae'n ddweud, ar sianel siopa ein gwlad)

's na'm llawer o ddyfnder, ond syth ydi'r gwys
rhwng y milenia dyddiol hollol ddi-bwys

(ond mae'r cwestiynau'n parhau
pam addoli rhai rhifau?)

pam fod pris fel nain nainti nain
fel genod can-can ar eu coesau main,
tra bod modryb decpunt namyn ceiniog
yn gwneud i ni wario mor anfoddog?

pam fod rhes o rifa naw 'n rholio drosodd
yn gwneud i wledydd cyfan droi cylcho'dd?
dwi'n gwneud mileniwm bob mis yn fy nghar
heb dynnu cracar na thanio sigâr!

(Cytgan eto)
aiff mileniwm byth â chi allan i de
na gwisgo geraniwm yn ei esgid dde
mae o fel gêm bingo a phob un mor bybyr
yn awchu am gynnwrf yn hytrach nag ystyr,
a gwaeddwn y rhifa, am fod rhifa yn rhad,
(neu felly mae'n ddweud, ar sianel siopa ein gwlad)
's na'm llawer o ddyfnder, ond syth ydi'r gwys
rhwng y milenia dyddiol hollol ddi-bwys ...

rhwystredigaeth

Mae wyneb f'anwylyd yn welw a gwyn
ond mae'n llyncu'r lliwiau bach bach;
llyncu enfys wythnosol o obaith
sy'n chwara mig ar gymylau ei dwylo …

Mae wyneb f'anwylyd yn welw a gwyn.

Weithiau dwi'n flin fatha afon frown,
yn berwi'n joclat o beryg,
a dwisio chwalu trwy'r coridorau hyn,
gan sgwennu 'mhenllanw'n gynddaredd a mwd
ar hyd y waliau gwelw a gwyn …

Mae wyneb f'anwylyd yn welw a gwyn …

y fi yw'r boi hefo'r bol

Dychrynaf, wrth basio fy hun mewn ffenest;
y fi yw'r boi hefo'r bol!

y fi! – y llefnyn llythrennol yn y ffotos arddegol
na fedrai hyd yn oed wlychu
heb symud o gwmpas mewn glaw!

dwi'n ffieiddio at y newid,
a minna prin hanner ffordd
at oed yr addewid;
bydd isio berfa arna'i
cyn cyrraedd hanner cant!

y fi yw'r boi hefo'r bol....

dwi'n gwisgo bathodyn y byw bras,
y cwrw mawr a'r koorma hwyr
ac amhosib yw cuddio logo canol oed
dan labed fy siaced;
troes yn silff ben tân uwch trowsus,
dyma'r bondo a'r bay window dros y belt

y fi yw'r boi hefo'r bol...

yn y bàth, mi fedraf ei ddofi,
ei droi yn ynys isel mewn cylch o ddŵr,
moel gron yn ymgodi'n dwt
dan Himalayas fy mhennaglinia

ond pan ddôf yn hippo o'r dŵr,
mae disgyrchiant yn gwneud disgo erchyll
o'r floneg aflonydd;
mae'n bochio fel bag Tesco llawn blymonj,
mae'n drwm fel llond sach o Aberystwyth,
mae'n gydymaith, mae'n gydwybod...

y fi yw'r boi hefo'r bol...

ac os wyf inna'n feichiog, gan fuchedd ofer,
mae bol fy ngwraig,
sydd wedi llanddewibrefi
bedair gwaith gyda babi,
yn fflat yn ôl fel hambwrdd;
croen crêpe yr amlesgor
yw'r unig gamwri
sy'n medru tystio i'w mamhydri
a hefyd, dwi'n ama, i'm diogi inna...
na fagodd ddim ond laff
yn y bol yma...

ond mae isio chwerthin weithia,
a dysgu caru ein ffaeledda!
y fi yw'r boi hefo'r bol!
y fi yw'r boi hefo'r bol!!

disgwyl croesi

(5.12.00)

Haul braf yn Dun Laoghaire,
a'r baneri'n llipa
ond mae stormydd dros y gorwel
wedi canslo'r cwch.

Dwi'n disgwyl croesi
ac yn lle boddi gofidiau,
mentraf ar hyd y morglawdd
sy'n pwyntio'n betrus tuag adref.

Mae yma ddigon o gwmni i Gymro di-gwch,
ac fe ddôn nhw i'm cyfer fesul un a dau,
y ffoaduriaid hamddenol
a neb yn eu herlid ond yr haul.

Mae meddygon Dun Laoghaire,
(mae'n debyg), yn cynghori
mai llesol yw'r cyrch beunydd
lawr y penrhyn artiffisial,

ac mae gwalltiau pawb ar dân
a'r golau'n rhubanau
ar ymyl eu sgwyddau,
yn yr heulwen isel,

pawb yn cerdded yn bwrpasol,
morgrug ar frigyn,
yn gweu nôl a 'mlaen;
ynysoedd bychain yn ymarfer dianc ...

ond pan gyrhaeddaf y pendraw,
a throi, yn anlemingaidd
nôl o'r dibyn,
dwi'n croesi'r môr, a mwy,

wrth gael cip ar goesau enfys
yn dringo uwch y bae,
cyn toddi'n ddi-fwa
ym mheisiau'r cymylau

a'i hamherffeithrwydd hudol
yn harddu'r oedi daearol,
ei gogoniant yn gysur,
a'i lliwiau'n siarad yn feidrol â mi,
a minnau'n disgwyl croesi ...

jest isio dawnsio

Bob nos Sadwrn
pan fyddai'i rhieni'n creu'r cysgodion
a'i cadwai o oleuadau'r dre,
safai dan fylb y bathrwm
ag angerdd ei cheg
yn gwawrio'n "O" ar y drych.

Bob nos Sadwrn,
â chewri rhamant yn fflicro ar y sgrîn fawr,
byddai'i fysedd o yn ddall i'r llun
wrth geisio darllen
amwysedd ei hangerdd
rhwng neilon ei choes a sidan ei chlun.

Bob nos Sadwrn,
pan fyddai ystolion y lleuad ar lawr eu llofft,
byddai'n ceisio cuddio ei phoen
trwy sgwennu ei henw
yn gusanau ffyrnig ar ei groen.

Bob nos Sadwrn,
a'r nyrs yn rhoi ei chorff
yn gargo musgrell i'r bath,
gall ryfeddu am funudau
at yr amser cyn y machlud
pan oedd symudiadau'i chorff
yn llenwi stafell gyda'u golau.

Ac un nos Sadwrn,
wnaeth hi chwerthin ennyd
wrth gynnig fod pawb
yn dawnsio'n ei bulpud...

diffoddodd y chwerthin
am fod neb yn symud...

deg o bethau i beidio â gwneud wrth gael dy goroni

1

Paid siafio hefo llafn newydd,
neu fydd croen dy wep
yn grych a llyfn yn y close-ups,
os nad yn wawdodyn.

2

Ar ganiad y corn gwlad,
paid sefyll ar dy unodl union;
Hir a thoddaid yw pob ymaros ...

3

Nid cyrch a chwta mo gwisg y ddefod;
gofala ei chodi
wrth esgyn y grisiau i'r llwyfan,
rhag iti fynd yn rhupunt hir
mewn ymsathr odlau.

4

Paid â galw "tovaritch"
ar yr Archdderwydd,
rhag iddo dy glymu a'i dawddgyrch cadwynog
ac anfon am yr englynion milwr.

5

Cofia wenu'n ystod y ddawns flodau,
ond paid â gwenu gormod,
rhag cael dy gyfri'n hen lusg wyrdro ...

6
Paid â chymryd y Corn Hirlas
os na elli di ei yfed ar dy dalcen slip.

7
Nid yw proestio'n dderbyniol
o flaen Mam y Fro;
gofalwch lyncu odlau dwbwl
cyn y seremoni, rhag ofn.

8
Paid trafod cynnwys y Flodeuged
gyda Morwyn y Fro;
mae ganddi lwyth o ddelifyris eraill i'w gwneud
a dŷn nhw ddim yn cael goramser ar ddydd Llun.

9
Ar ôl y seremoni,
rhaid gwneud cynghanedd i'r wasg,
a deuair fyrion ar y radio efallai;
gwena yn BBsiriol,
a thria peidio swnio'n glogyrnach;
– ti i fod yn fardd wedi'r cyfan!

10
Wedyn mi gei di ddathlu
nes bydd dy Gerdd Dafod yn dew,
ond paid â dechra ar y byr a thoddeidiau,
neu mi fyddi ditha a'th gynghanedd
yn bengoll yn y bore ...

A phaid â chwffio
â chadeirfeirdd mewn pybs,
neu mi gei di gyhydedd naw ban!

bysedd caernarfon

(Yn y saithdegau chwalwyd llawer o ganol Caernarfon i wneud lle ar gyfer yr Inner Relief Road)

Trowch y dre ar ei phen
a gwelwch Gaernarfon
fel machlud ar y map,
a'i lonydd yn pelydru allan i'r wlad,
i Fangor a Bethel,
Pwllheli, Llanbêr a Weun.

Pum bys y dre oedd rhain,
yn syth fel genath yn edmygu'i gwinadd,
yn braff fel dyn yn creu crud i giw snwcar;

ond fe'u collwyd dan fwyall,
gan adael dim ond bawd Lôn Bangor
a bys bach cyfrwys Lôn Parc...

Collwyd Clark Street, Wynne Street, tafarna,
Uxbridge Street, a tocio darna
o strydoedd eraill,
y tŷ lle bu Nain yn gweini,
ysgol, capel, ffatri
ynysu Twtil, fel petai'n aflan,
a bwrw ffleiofar trwy grombil y cyfan.

· · ·

Heddiw, er bod llwybrau teils
yn gwahodd gyda'u graffiti dan y ffordd,
mae llafnau ifainc a hen wragedd â ffyn
yn dal i oedi ar waelod William Street,
neu ar dop Stryd Llyn,
ar lan y traffig

cyn plymio i'r dwfn,
a'i phlannu hi'n ddi-beilot
drwy gerrynt y cerbydau am yr ochor draw,
am mai yma mae'r lôn i fod ...

Dyma fysidd ysbryd Caernarfon,
a'u nerfau'n janglo o hyd,
yn galw ar fforddolion gwâr
i'w cerdded yn ôl i'r byd ...

i'n trwsio lle bu'r traffig yn ein hysgar
gan ddatgan yn oddefgar,
"trech cof na chynllun tref..."
"trech cofi na lorri a char..."

seismoleg smalio

Mae bore a nos yn gyfandiroedd ar wahân,
platiau tectonig ar wyneb ein bod,
a'r llinell ffawt yn rhedeg trwy'n tŷ ni...!

Anodd amgyffred anferthedd
y wasgfa sy'n esgor
ar Etna dyddiol o anghytundeb.

Cyn mynd i'r ysgol rhaid ymgodymu
â'r esgidiau llosg
a'r cotiau ffrwydrol
a'u gwres yn serio ein cysgodion
ar wal y lobi.

Gwadnu hi wedyn rhag y lafa gwynias
allan i'r oerni syber sy'n tawelu,
llusgo fyny'r allt law yn llaw

fel dynion cadwyn papur yn denig;
ond diorfoledd yw'r dianc
a ninnau wedi'n deifio a'n daeargrynu.

Pan fo'r ffawt yn rhuo agor
dan ni'n disgyn i'n gwendidau ein hunain

• • •

O flaen yr ysgol, gwelaf fy hun
yn dod allan o gar rhywun arall;

dyn arall wedi ffraeo'i ffordd o'r tŷ
ac yn casau'i hun o'r herwydd,

ci 'di chwipio gan nerth ei angerdd ei hun,
yn hebrwng ei blant yn ôl i'r tir cadarn,
allan o'r tân.

Wedi'r cwbl, mae bore a nos yn gyfandiroedd ar wahân
ond dylid gwarchod rhag ffrwydro
yn lle beio'r cyfan ar ryw seismoleg smalio…

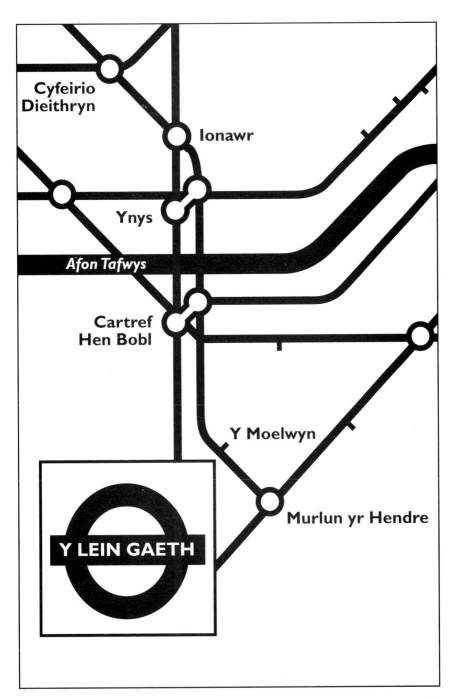

Cyfeirio
Dieithryn

Ionawr

Ynys

Afon Tafwys

Cartref
Hen Bobl

Y Moelwyn

Murlun yr Hendre

Y LEIN GAETH

ynys

Mae hon am y môr â mi – yn unig
annynol yn gweiddi
yn ei nos, ac ni wn i
sut, sut mae croesi ati...

cartref hen bobl

y sbio'n ddof a'r gofyn – a gofyn,
gafael yn llaw rhywun,
y gair digri, a'r deigryn,
– awn yn iau wrth fynd yn hŷn...

cyfeirio dieithryn

"Tyddyn Oer"? That's not the name – I in fact
preferred a French placename,
but since you sold me th' oldname
(me 'eart bleeds!) you're more to blame!

murlun ysgol yr hendre

(i'r artist Sion Jones a ddaeth â hanes y dre yn fyw ar waliau'r ysgol)

O chwarel wen ein gorffennol – y ceir
y cerrig lledrithiol,
hanfodion ein dyfodol…

ionawr

Llynedd sydd wedi llenwi – dalennau
di-lun â'i gwpledi;
ond ysgrifen eleni
ni allaf roi'n fy llyfr i.

Rhyw fachgen sydd am sgwennu'i – wrhydri
ar wydr 'di ageru
ac yn wamal mae'n chwalu
ei fys trwy'r flwyddyn a fu

owen owens

(fy hen daid)

Mi welais ar y Moelwyn – rith hen ddyn,
rythai'n ddwys o'r dibyn,
eto'n dod, â'i frest yn dynn,
o'r wlad i'r chwarel wedyn.

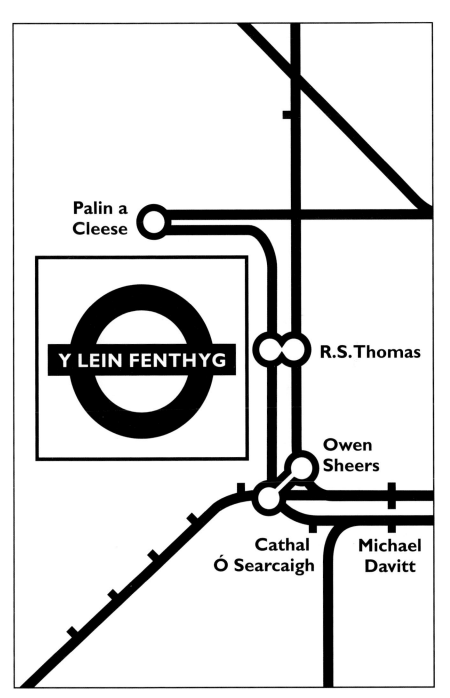

Palin a
Cleese

Y LEIN FENTHYG

R.S. Thomas

Owen
Sheers

Cathal
Ó Searcaigh

Michael
Davitt

saunders lewis

(Cyfieithiad o "Saunders Lewis" gan R.S. Thomas)

Ac fe'u heriodd;
eu herio i dyfu'n hen a chwerw
fel yntau. Cadwodd ei bin yn lân
trwy ei gladdu yn eu cnawd
bras. Asgetig ydoedd a Chymru'n
ymborth iddo. Bu fyw ar luniaeth llym
ei thrafferthion, wedi ymlâdd,
ac eto'n benysgafn
weithiau gan win y beirdd.

Meudwy felly; a'i hunan
yn gell? Yn ddi-gorun
symudai yn ein plith; fe'n harweiniai
at wrthryfel. Er yn fychan,
cawr ydoedd, a chlicied ei feddwl
wedi'i chodi, yn barod i danio'i ddirmyg.

llyn bach y sorri

(Cyfieithiad o "The Pond" gan Owen Sheers)

Fa'ma byddwn i'n mynd â 'mhetha
i'r pant bas yng nghanol y cae,
y clais cyfrinachol wedi'i guddio gan y coed.

Yma ddês i â thranc fy nhad-cu,
gan sugno squash o bantia'r bocs bach
wrth i'r dagra sychu'n hoel malwod ar fy mocha,

fy nghusan gynta dan fwa'r beudy haearn,
y gewynnau'n dynn a'r gwefusau 'di cyffio
wrth i'r gola ffoi, a'r ffermydd gynnau'u lampia,

ac yma ôn i'n helcud pob rhyw anghydfod,
gan dyngu byth ddychwelyd, yn grwm dan y dderwen,
cyn y sleifio nôl anochel

trwy'r glaswellt hir oedd yn sgubo'r penna glinia
pan oedd yr oerfel wedi fferru mêr fy esgyrn
a'r myll wedi esblygu'n awydd bwyd.

portread o'r gof fel artist ifanc

(Cyfieithiad o "Portráid den ghabha mar ealaíontóir óg"
gan Cathal Ó Searcaigh)

Dwi wedi blino'n lân hefo Dun Laoghaire,
hefo'r bedsit big yng nghesail y groesffordd;
lle cyfyng sy'n cloffrwymo fy ngwaith
fel gof geiriau,
sy'n fy ngadael fin nos â 'mhen yn fy mhlu,
yn gwasgu cyfeillach o griw o yfwrs,
yn lle morthwylio
cerddi i 'mhobol
ar engan fy meddwl...

Mae'r segura diawledig 'ma
wedi mynd tu hwnt, myn Duw!
Petawn i nôl 'Nghaiseal na gCorr
'swn i ddim mor lletchwith na hanner byw,
naf'swn wir! Yn efail yr iaith
'swn i'n sbriwsio'n arw
wrth ymarfer fy nghrefft bob dydd
a megin fy meddwl yn corddi fflamau,
yn chwythu gwreichion o farwor syniadau,
yn dygnu arni gyda fy morthwyl
yn profi metel iaith fy mhobol...

y mawr a'r bach

(Rhyddgyfieithiad o'r "Dead Parrot Sketch" gan John Cleese a Michael Palin)

(Gellid camddehongli'r gerdd hon fel ymosodiad di-chwaeth ar un o'n chwaer ieithoedd, ond y bwriad yn hytrach yw dychanu rhai o'n tueddiadau llai dymunol ein hunain fel siaradwyr Cymraeg.)

Cwsmer: *Us nep den omma?* [1]
               Na, fel ôn i'n ama...
               Oi, siop!! *(y siopwr yn codi i'r golwg)*
               Dwisio gwneud cwyn am yr iaith 'ma brynis i
               gwta hanner awr yn ôl, ar y stondin Geltaidd hon.

Siopwr: Mm... ia... *An yeth Gernewek* [2]
               – be sy'n bod arni felly?

Cwsmer: Mi dduda'i 'that ti be sy'n bod arni, washi,
               mae 'di marw, dyna be sy'n bod arni!

Siopwr: Na na, mae... mm...
               mae jest yn cael rhyw bum munud bach

Cwsmer: Yli washi, dwi'n nabod iaith farw pan wela'i un,
               a dyna dwi'n sbio arni rwan!

Siopwr: Na na, dyw hi'm 'di marw...
               Cadw'n dawel mae hi...
               am fod brwydr yr iaith drosodd!
               Ond mae sglein ryfeddol ar y Gernyweg 'does?
               Treigladau hyfryd!

Cwsmer: Diom ots am y treigladau,
               mae'r iaith 'ma'n farw gorn!

Siopwr: Na na, gorffwys mae hi...

Cwsmer: Well i ni gael rhyw ddeffroad ieithyddol bach 'ta...
            An yeth Gernywek! An yeth Gernywek!
            Res yu dhyn dasvewnans a gavas![(3)]

Siopwr: 'Na chdi, wnaeth y niferoedd godi'n fanno!

Cwsmer: Naddo ddim, chdi wnaeth ffidlan y stadegau!

Siopwr: Naddo!

Cwsmer: Do 'ta! *An yeth Gernewek! Un deu, un deu!*
            Otan an unnegves ur![(4)] Dyma'r unfed awr ar ddeg!
            Prys yu dyfuna![(5)]
            Hanter an ober yu dalleth![(6)]
            Dun alemma![(7)]
            ...dyna be 'swn i'n galw'n iaith farw...

Siopwr: Na na, 'di dychryn mae hi!

Cwsmer: 'Di dychryn!

Siopwr: Ia, wnest ti ddychryn hi hefo dy Gernyweg coleg
            a'r geiria-gwneud 'na,
            a rwan mae 'di cilio, yn iaith gegin...!
            Mae ieithoedd Celtaidd yn cilio'n hawdd sti

Cwsmer: Yli washi... dwi 'di cael llond bol ar hyn
            – mae'r iaith 'ma'n gelain gegoer,
            a chwta hanner awr yn ôl, wnest ti daeru hefo fi
            mai'r unig reswm am y diffyg siarad
            oedd am fod gynni hi'r hyder ieithyddol
            i ddefnyddio'r Saesneg yn lle !!

Siopwr: Wel... mae rhaid gin i felly...
            bod hi'n hiraethu...
            am Polperro!

Cwsmer: Hiraethu am Polperro?!!
            Wnaeth hi ddisgyn ar wastad ei chefn
            cyn gynted ag y cyrhaeddis i adra!

Siopwr: Mae'n well gan ieithoedd Celtaidd fod ar eu cefnau!
            Mae sglein ryfeddol ar y Gernyweg 'does?
            Treigladau hyfryd!

Cwsmer: Yr unig beth yn sgleinio oedd yr hoelion yn ei harch
            hi!

Siopwr: Wel, ia siŵr iawn... fi roth nhw yno 'nde!
            Falla mai'r Gymraeg yw Saesneg y byd Celtaidd
            ar *hyn o bryd*
            ond 'swn i heb hoelio'r caead ar yr arch'na
            'sa'r Gernyweg wedi neidio fyny,
            'sa hi 'di bod ar fysus i Gill Airne
            yn gwylio corau Cernyweg yn cystadlu â'i gilydd,
            yn siarad 'dop ei llais
            ac yn teimlo'n smyg am addysg Gernyweg!

Cwsmer: 'Sa'r iaith 'ma ddim 'di neidio fyny
            'sa ti 'di rhoi dengmil folt trydan trwyddi
            – mae 'di blydi marw!

Siopwr: Na, mae'n hiraethu am Polperro!

Cwsmer: Hiraethu ddiawl, mae'n Amen arni!
            Mae wedi trengi, run fath â'i threigladau!
            Ymadawodd â'r fuchedd hon,

ac mae'i geirfa'n huno yn yr Arglwydd!
Daeth i ben deithio byd
heb sôn am cruise-io tea shops yn bogging Polperro!
Mae wedi rhoi ei ebwch ola!
Mae'n cysgu allan!
Mae wedi cicio'r bwced!
Nid yw
ar dir y byw!
– mae hon yn Gyn-iaith !!

Siopwr: Iawn…well i ti gael iaith arall 'ta… *(yn diflannu, yna'n dod nôl)*
            …Sori, dwi newydd sbio 'nghefn y stondin a…
            sgynnon ni ddim ieithoedd Celtaidd ar ôl…

Cwsmer: mm hmm…

Siopwr: …mae gin i dafodiaith obsgiwar o Papua New Guinea?

Cwsmer: Oes rhywun tybed yn ei siarad hi?

Siopwr: …na…

Cwsmer: Wel dyw hi'n da ddim byd i fi, nagdi?!
            Bydd rhaid 'mi wneud yn fawr o'r iaith 'ma sgin i…!

(1) Oes rhywun yma?
(2) Yr iaith Gernyweg
(3) Rhaid i ni gael adfywiad
(4) Dyma'r unfed awr ar ddeg
(5) Amser dihuno
(6) Hanner y gwaith yw dechrau
(7) Ffwrdd â ni!

o fy nau balestiniad

(Cyfieithiad o "Ó Mo Bheirt Phailistíneach" gan Michael Davitt)

(Ysgrifennwyd ganddo ar ôl gwylio adroddiad ar y teledu am ladd Palestiniaid, yn Beirut 18.9.82)

Gwthiais y drws
ddigon i adael golau top grisiau
i mewn arnyn nhw:

dillad y gwely wedi'u bwrw ymaith ganddynt
hwythau'n gorwedd ar slant
fel y disgynasant:

ei choban hi i fyny dros ei chluniau,
gwaed ar les ei blwmar
o'r hollt yng nghefn ei phen,

ei hymennydd cyw iâr yn chwydfa ar y glustog,
cylla yn llithro allan o'i fol yntau
fel gwymon ar garreg,

iau ar gynfasau
un llaw yn yr awyr a'r gwaed yn ceulo arni.
O fy nau Balestiniad, yn pydru'n y gwres canolog.

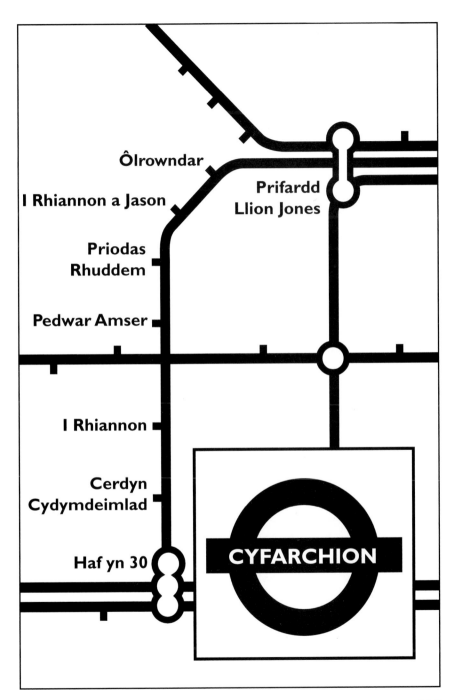

Ôlrowndar

I Rhiannon a Jason

Prifardd
Llion Jones

Priodas
Rhuddem

Pedwar Amser

I Rhiannon

Cerdyn
Cydymdeimlad

Haf yn 30

CYFARCHION

yr ôlrowndar

(i MapD, Bardd Plant Cymru, 8.8.00)

Fo yw decathlete byd y cathlau,
elain rhwydd yr englyn ar wib,
hefo stamina milltir o gywydd
a dewrder naid uchel o gân,
ond ei gamp fwya yw
hybu'r to nesa o gerdd-wibwyr
cân-luchwyr, a naid-benillwyr.

Rhyw ddawn hael 'sgan Myrddin ap
yn troedio'r trac
gyda'r plant yn eu sbeics trênio
yn magu mysls eu hymateb
trwy hyrddio cwestiynau
fel "pa geir hoffai Aneurin?"
a "sut losin ddewisai Taliesin?"
gan roi presyps i'w dychymyg prysur
nes bod eu hawen yn chwys i gyd.

Dyna'i ffordd; dyna hyfforddi...
Mi **allai** Myrddin ddadlennu mewn llai na lap
sut mae'r hen o hyd yn newydd iddo,
a sut all cloch y lap ola
weithiau symbylu'r gerdd ora;
gallai **roi** hyn i gyd,
ond mae hynny'n waith sylwebwr,
nid bardd o hyfforddwr.
Mae yntau'n dangos sut mae'i wneud o dy hun,
sef yn y pendraw, y rhodd fwya un.

i gyfarch
y prifardd llion jones

(Bardd y Gadair, Llanelli 2000)

Mae'r hen awen 'leni
yn newid ei diwyg;
llacio'i staes ar y Maes mae hi,
ei gwallt yn hedfan yn y gwynt
ac mae'n g'neud points pnawn Gwenar
hefo gŵr tawel o Abergela.

Sut maen nhw'n siwtio?
Be sy'n eu denu?
Nid twrw'r cyn gitarydd
a'i gordiau decsill;
nid llygad craff y lledrgledrwr
all labio'i gyffelybiaeth
drwy grai nodwydd,
ond angerdd dwys ei feddwl.

I hwn, peri gwefr mae'r papur gwyn
sy'n ddidostur o ddidestun,
ac mae'n gadael i'r Awen fod yn hi'i hun...

Hyn dynnodd ei chadwyni,
torri padlocs y trapiau odli,
a'i rhyddhau
yn llawen iawn, i'w Llion hi !!

rhiannon a jason

(7.7.01)

Heddiw, uno'n berffaith
mae dwy wlad
a dwy chwedloniaeth,
a dyma gyfranc newydd sbon
Jason a Rhiannon:

Merch a aned ym Mangor
a'i meithrin a wnaed ym Môn
a'r enw a roddwyd arni oedd Rhiannon

Ymgiliai'n swil rhag cam
dan gôt weu ei mam
gan fod yno noddfa glyd rhag poenau'r byd
a chymorth rhag dymchwel Bont Borth!

Ac yna ym mlodau ei dyddiau,
aeth allan trwy'r gwledydd i rodio
a'i gyrfa yn farch aruchel
a cherdded gwastad ganddo.
A'r neb a'i canlynai,
mwyaf ei frys,
pellaf fyddai hithau oddi wrtho...

Yna daeth Jason
a llond Argo o obeithion,
i Golchis Môn
i gyrchu'i gnu aur o hogan
a'i chipio'n wraig dan lygad y ddraig.

Ac er ei mwyn,
ieuodd deirw anadlai dân,
a heuodd ddannedd y ddraig,
ond cyn ei hudo oddi yno,
bu raid iddo weiddi
yn unol â'r Mabinogi,
"er mwyn y gŵr mwyaf a geri,
arhosa amdana i" !
a Rhiannon a wnaeth!

Dwy wlad a dwy chwedloniaeth
yn ymgordeddu
gan nyddu chwedl newydd
yn ieuenctid y dydd...

cerdyn cydymdeimlad

Wedi marwolaeth, mae'r tafodau'n cloffi
a ninnau'n cloffi rhwng dau feddwl.
Mae'r fwydlen yn ddiarth ac yn gyfyng
a dewiswn y doethineb cracyr nadolig
yn lle'r teimlad.

Mae'r teimlad yn rhy fawr ac yn rhy ddwfn...
Mae "cystudd" a "phrofedigaeth"
yn brydau parod hwylus, mewn i'r meicrodon,
mewn i'r amlen, ping,

tra bod galar fel llysiau yng ngardd y nos
yn rhynnu'n amrwd, wedi'u diwreiddio,
ym mhen y dalar, ar lwybr y tŷ, ...
a dylem eu codi wrth gerdded heibio
ond mae'n ormod o strach i blicio galar.
Ac mae'n brifo...

rhiannon

(merch Iwan a Nia, 21.2.99)

Camp oedd ei dal ers talwm ac anodd
ganwaith dorri'r patrwm;
ond hon, wedi'r troeon trwm,
yw'r eirlys wedi'r hirlwm.

ar achlysur priodas rhuddem mam a dad

(6.6.01)

A gawn-ni Glyn ac Iona
ailfwynhau y dyddiau da?
Ail-fyw heno'r elfennau
dwys sydd wedi uno dau?
Ar adegau bu'r deugain
yn llawn braw megis llwyn brain,
ond hefyd ar lan Tafwys
bu'r deugain yn gain ei gwys,
yn anfon rhoddion yn rhes,
meibion, wyrion a wyres.

Heddiw, er gwaetha'u diwedd,
fe dry ysbrydion i'r wledd,
hen waed ymadawedig
yma o hyd yn chwarae mig.
Maen nhw o hyd ynom ni
yn gweithio trwy ein gwythi,
gyrru'n byw o gyrion bod,
yn anfon peth o'u hanfod
brau i'n rhoi ar y llwybr iawn,
yn goflaid a'n gwna'n gyflawn.

O ffiniau ein gorffennol
llais main sy'n ein harwain 'nôl,
o'r hyn fu, i'r hyn a fydd,
a gwelwn gyda'n gilydd
fod enfys wâr o gariad
yn brawf o'ch dyfalbarhâd
yn cyrlio trwy y curlaw
yn ddewr at yr hyn a ddaw.
Cawn, fe gawn, Glyn ac Iona
eto fwynhau dyddiau da!

haf thomas yn 30

(11.08.01)

Mae bywyd fatha blwyddyn gron,
y gwanwyn wêl ein geni,
ieuenctid wedyn yw ein haf
(ond derfydd, mwya'r piti!)
Yn dri deg oed, yr hydref ddaw,
dechreuwn fynd yn hŷn,
a henaint ydi'r gaeaf
y tymor olaf un;
– ond feistres Thomas, gwyn dy fyd
wyt tithau heddiw'n Haf o hyd!

unwaith yn y pedwar amser...

(i Twm a Sioned, 30.6.01)

Aethom o'r dafarn
yn igam ogam
i gyfarch afon Dwyfor,

gan faglu ar gysgodion
y coedgolofnau duon
oedd yn cynnal y nos,

a breichiau chwerthin un
yn cadw'r llall rhag disgyn,
yn cynnal hwyliau dau.

Ac yna roedd afon o'n blaenau,
yn llifo fel gwydr, a'r lleuad hen
yn dawel ar ei dyfroedd...

• • •

Bûm yma fy hun dan leuad cyn hyn,
a'm synhwyrau'n dannau tynn
wrth sawru trindod amser...
Anadlwn hefo'r afon,
a 'nghalon yn curo'n dawel
fel wats...
Mae i bob dyn ei dymp, a phob iaith;
a hwn yw amser cynhenid yr hil,
weithiau'n drwm
ac weithiau'n ysgafn...

Mae hefyd amser dwfn sy'n hŷn na'r hil,
cloc anhraethol araf
y graig o dan ein traed
sy'n mesur oes planedau…

A chreadigaeth chwyrn ein hil
yw'r trydydd amser,
ein symbeiosis â pheiriannau,

yr amser sy'n ein tlodi
am fod heddiw
yn ddiwerth o hen
yfory,

a'r dyfodol yn cau'n
gyflymach gyflymach,
fel sbenglas diddiwedd…

• • •

Ond heno, mae hynny ymhell i ffwrdd,
yn presenoli trwy'i absenoldeb,
cyn cilio…

Anadlwn hefo'r afon…

a heno rhwng dau,
mae cariad yn creu pedwerydd amser;
amser trosgynnol sy'n hwy na'r haul,

ein cynffon comed
wnaiff barhau
pan ddaw y byd i ben.

Byddwn yno... a byddwn am byth,
am ein bod yn cydio dwylo
ar lannau Dwyfor heno...

ac unwaith yn y pedwar amser,
mi ddown ni yma'n ôl,
gan igam ogamu'n ddall trwy'r nos

i aildanio gweledigaeth,
ac ymglywed â'r pedwar amser
tra gwrandawn ar sŵn y dŵr yn llifo...